Avant-propos

Le papier est un moyen d'expression passionnant aux possibilités créatives et artistiques multiples : découpages, collages, figures en papier...

Ce livre vous présente les techniques de base de l'art très ancien des figures en papier et un choix d'applications possibles. Au fil des pages, vous apprendrez à réaliser des projets en commençant par les techniques les plus simples, telles que le découpage et le collage, puis poursuivrez par des techniques plus complexes. Au fur et à mesure que vous vous exercerez, vous acquerrez de l'expérience, de l'habileté et même de l'inspiration.
Car une fois que vous aurez maîtrisé les techniques de base, il vous sera facile, par analogie, de concevoir d'autres formes et des objets plus complexes.

Ce livre fournit une grande diversité de modèles auxquels vous pourrez vous référer.
Chaque technique est accompagnée d'un gabarit, d'explications et de la méthode à suivre.

Grâce au concours de tous, petits et grands, cet art de la sculpture en papier connaîtra un développement certain.

Table des matières

1ère partie

Matériel et formes de base

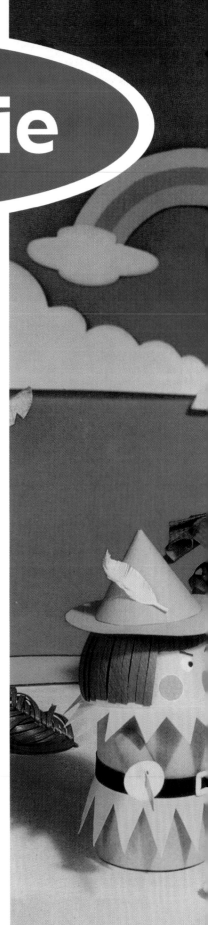

Le matériel

Tout d'abord vous avez besoin d'un matériel complet et de qualité : couteaux, cutter, colle et autres outils en apparence simples, mais que vous devez apprendre à manipuler avec adresse pour réaliser des ouvrages d'une finition impeccable.

a. La gomme

Prenez garde à ne pas appuyer trop fort quand vous gommez pour éviter d'endommager le papier. Toutefois, si vous abimez le papier, il peut ensuite servir à d'autres utilisations.

b. Le cutter–compas

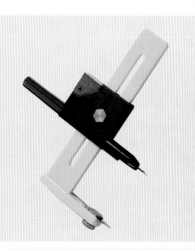

Servant à découper des feuilles en forme de cercles ou de demi-cercles, cet instrument permet d'obtenir sans peine des courbes nettes et harmonieuses.

c. Le ruban adhésif

Pour coller ou fixer, utilisez le ruban adhésif qui a pour caractéristique de ne pas endommager la surface du papier.

d. Le pistolet

Instrument indispensable pour tracer des lignes courbes ou en forme d'arc, ou encore découper avec soin.

e. Le trace-cercles

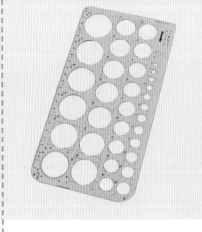

Très utile pour tracer des cercles de dimensions variées, il vous permet de gagner beaucoup de temps.

f. La colle

Indispensable pour la plupart des ouvrages, elle permet de faire un travail net et soigné. Utilisez de préférence une colle qui sèche vite.

g. Le stylet

Utilisé le long d'une règle, le stylet sert à pratiquer des rainures nettes et précises, mais aussi à tracer le contour d'un gabarit.
Cet instrument peu tranchant vous permet de réaliser vos ouvrages sans difficulté.

h. Le tube en laiton

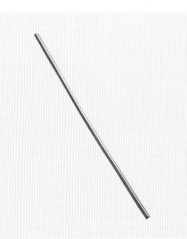

Outre le fait de bomber le papier, il permet d'enrouler des feuilles ou des bandes de papier.

i. Les précelles

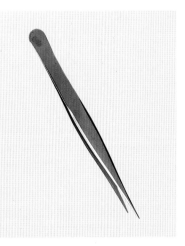

Très faciles d'emploi, elles sont en particulier nécessaires dans les endroits difficiles à travailler et requérant beaucoup de minutie.

Les papiers

Il existe un grand nombre de matières premières, de textures et d'épaisseurs de papiers. Les applications proposées dans ce livre sont des figures à trois dimensions. Pour les parties de base des figures, procurez-vous un papier assez épais, résistant et d'excellente élasticité. Pour les pastilles colorées ou les accessoires décoratifs, choisissez des papiers plus fins et faciles d'emploi. Au début, on n'est guère familiarisé avec les différentes caractéristiques des papiers, mais peu à peu vous apprendrez à les distinguer.

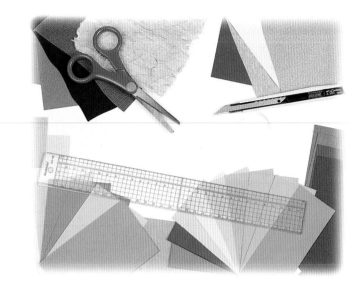

Les magasins spécialisés offrent une vaste gamme de cartons et de papiers : papier kraft, papier chiffon, papier ondulé, papier d'art, papier de brocart veiné, parchemin, papier de Chine, papier de soie... Vous trouverez aussi toutes les teintes possibles et imaginables.

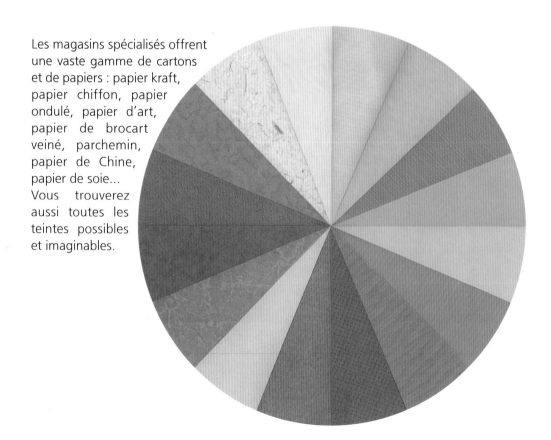

Colorier

Colorier permet d'embellir des papiers aux couleurs insuffisantes et de mettre en valeur vos ouvrages, en les décorant et en les rendant plus expressifs. Une simple feuille de papier n'a pas les moyens de susciter une émotion esthétique !

Vous pouvez utiliser des pastels, des crayons de couleur, des marqueurs, des encres de couleur, des peintures à l'eau...

Choisissez-les en fonction de leurs caractéristiques propres et selon l'effet que vous souhaitez obtenir.

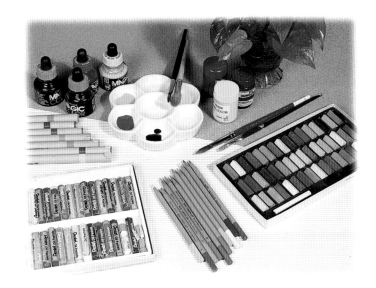

b. Le marqueur

Il sert à tracer des esquisses, des carrés ou des veines à la surface du papier. Choisissez les couleurs appropriées.

a. Le pastel

Un dessin peut être colorié directement au pastel.

Les effets produits seront variés selon la façon dont est taillé le crayon.

c. La peinture pour affiches

Elle permet d'enduire des surfaces lisses. Dosez bien la quantité d'eau de façon à ce que la peinture ne soit ni trop diluée ni trop pâteuse, et qu'elle soit facile à appliquer.

d. L'encre de couleur

Si vous souhaitez des couleurs brillantes et éclatantes ou obtenir des effets de dégradés, utilisez de l'encre de couleur diluée. Une fois que l'encre est sèche, appliquez-en d'autres de votre choix.

1-1 Les rainures

Rainer des lignes droites ou courbes donne au papier un effet en trois dimensions. Les formes courbes, concaves ou convexes semblent pointues. Veillez à ce que la pression du stylet soit adaptée à l'épaisseur du papier de façon à obtenir des plis beaux et nets.
Cette technique est très utilisée dans le pliage.

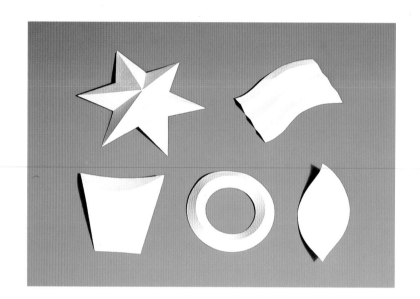

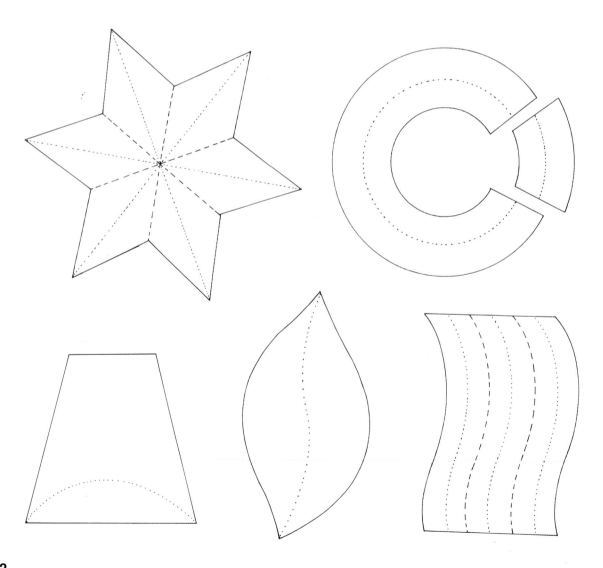

1. A l'aide de vos mains, pressez et recourbez avec soin le papier de chaque côté de la rainure.

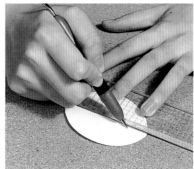

2. En pratiquant des rainures dans le papier avec un stylet le long d'une règle, vous obtiendrez d'excellents résultats.

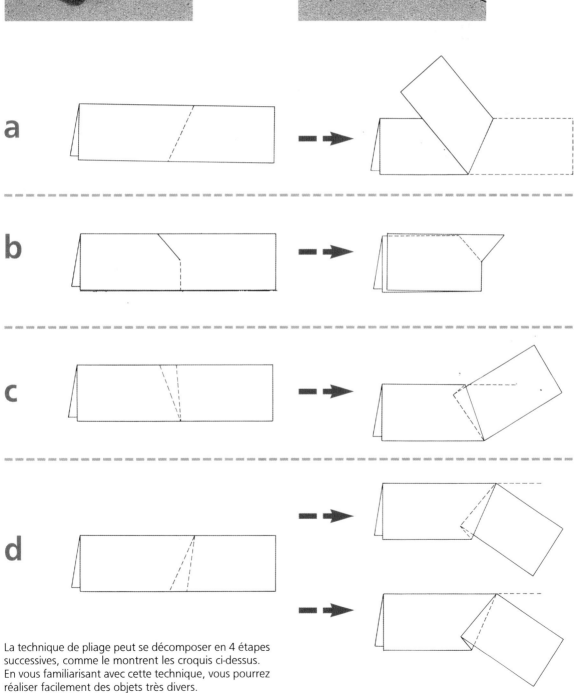

a

b

c

d

La technique de pliage peut se décomposer en 4 étapes successives, comme le montrent les croquis ci-dessus. En vous familiarisant avec cette technique, vous pourrez réaliser facilement des objets très divers.

1-2 Les courbes

La surface courbe est fonda-
mentale dans les figures en
papier à trois dimensions.
On emploie cette technique
dans beaucoup de cas.
En recourbant, veillez au
degré d'incurvation nécessai-
re à votre ouvrage et au sens
des fibres du papier. Ainsi,
votre objet n'aura pas un
aspect rigide. Utilisez les
instruments adéquats (crayon,
bâtonnets ronds, tubes...)
pour de meilleurs résultats.

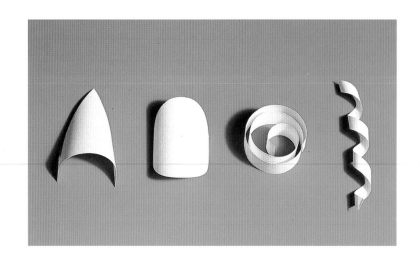

1. Incurvez le papier avec un tube selon la forme d'un arc puis ajustez un peu la courbe pour finir.

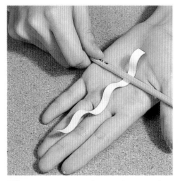

2. En recourbant le papier comme une vague, veillez au degré d'incurvation et aux espaces.

3. Enroulez la bande de papier autour du bâtonnet pour former une spirale, puis ajustez pour finir.

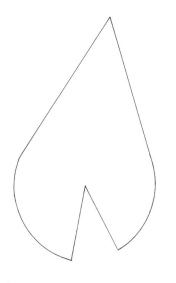

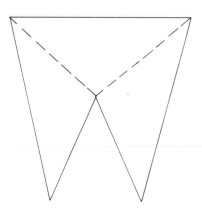

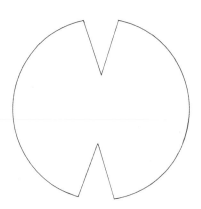

1-3 **Les surfaces**

Il existe plusieurs types de surfaces, telles que semi-convexes, planes, à rainure, etc...
Les surfaces semi-convexes par exemple, permettent de créer le plus de variantes et sont les plus employées surtout pour décorer la partie principale d' une figure.

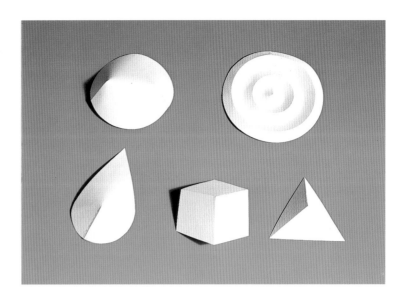

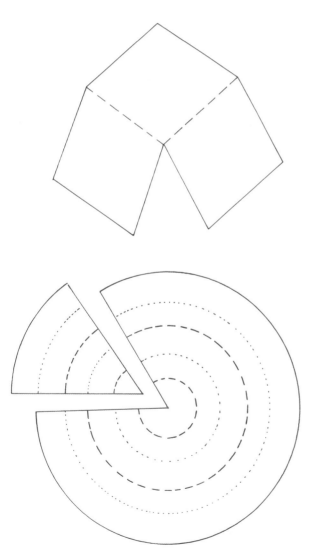

1. Découpez un segment, puis superposez les bords et collez.

2. Une fois que la colle est sèche, redécoupez soigneusement la bordure.

1-4 Les cylindres

Colonnes, semi-colonnes, colonnes à trois angles, piliers, colonnes mutilatérales et aux formes variables, chaque cylindre a ses caractéristiques propres. Vous devez beaucoup vous entraîner pour bien vous familiariser avec cette structure tridimensionnelle. Au fur et à mesure de vos projets, vous maîtriserez bien cette forme.

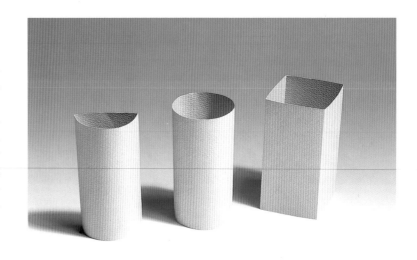

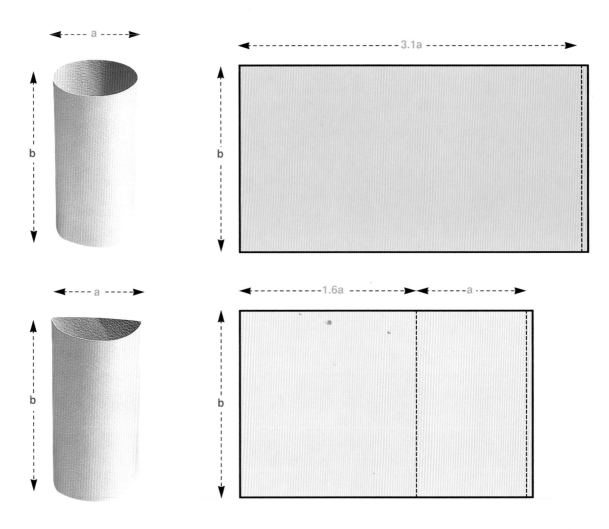

En déployant le gabarit pour fabriquer la colonne, utilisez comme base de calcul le nombre pi (3, 14). Prenons un exemple : si vous voulez réaliser une colonne de 10 cm de diamètre, vous aurez besoin d'une longueur de 31 cm (3,1 x 10). Selon le même principe, pour une demi-colonne, calculez sur la base de 1, 6.

1-5 **Les cônes**

Le cône est une forme dérivée du cylindre. En raison de sa structure caractéristique - large à la base, pointu au sommet, le cône est une figure stable.
Courbez le papier à partir de la pointe. Cette forme convient dans la fabrication de corps ou de chapeaux. Si vous retirez l'angle pointu, vous pouvez concevoir de nombreuses variantes.

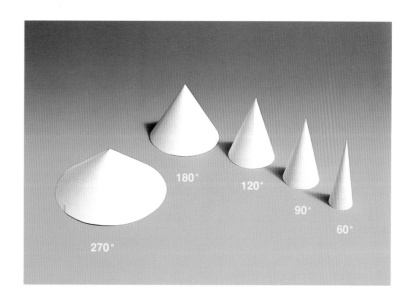

Ainsi que vous pouvez le voir sur le croquis, selon l'angle découpé à partir du même rayon, la forme conique est variable. Aussi quand vous élaborez un projet, vous pouvez vous reporter aux croquis ci-dessous, en choisissant le modèle et la dimension désirés.

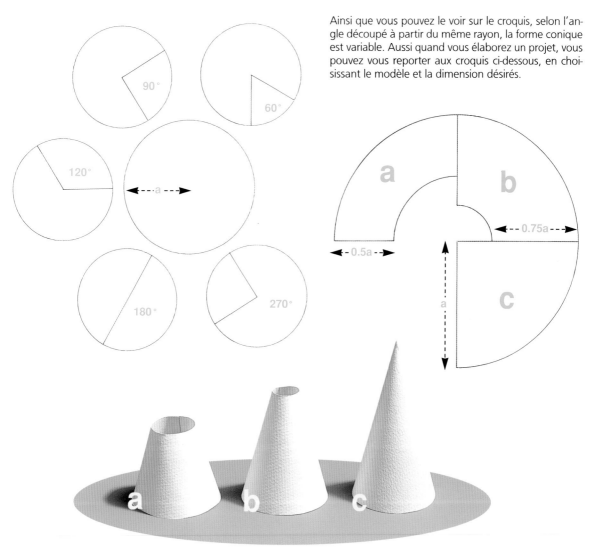

17

1-6 Les variantes

Les variantes d'une figure de base peuvent être définies en 8 techniques principales, comme le montrent ces photos.

Vous pouvez donc : découper, renverser, éliminer, coller, ajouter, insérer, recouvrir, assembler. Selon l'objet que vous voulez faire, utilisez un ou plusieurs de ces procédés. Il vous faudra les maîtriser afin d'obtenir un travail réussi et riche en détails, qui donnera encore plus de valeur à votre ouvrage.

a. Découper

Découper une partie d'une structure complète est la première technique de base.

b. Renverser

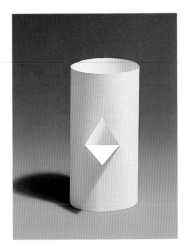

Avec un cutter, c'est découper un segment dans la surface, puis avec les précelles, faire un pli renversé extérieur.

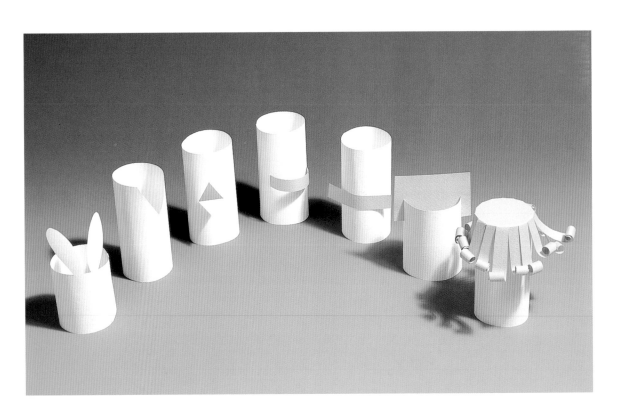

C. Eliminer

Après avoir tracé une figure sur la structure, c'est découper la partie inutile et garder la forme désirée.

d. Coller

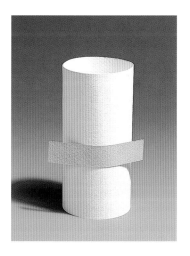

Coller des pièces sur la surface est une façon simple de décorer celle-ci.

e. Ajouter

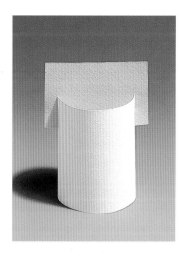

On peut pratiquer une découpe dans la figure principale, et fixer ainsi une autre pièce.

f. Insérer

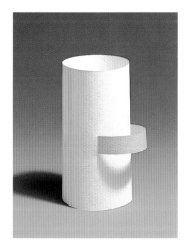

C'est découper une fente dans la partie qui convient, et y insérer ensuite une partie supplémentaire.

g. Recouvrir

C'est recouvrir l'ouverture au-dessus d'une colonne avec un objet. Cette technique est souvent utilisée pour ajouter des cheveux.

h. Assembler

C'est réunir 2 parties de dimensions correspondantes. Cette technique permet d'opérer des changements continuels à partir de l'élément principal.

2ème partie

Les techniques

A

Enrouler

Enrouler est une technique qui utilise l'élasticité et la résistance du papier. On distingue trois façons d'enrouler : enrouler dans un sens, enrouler dans deux sens et enrouler dans tous les sens. Cette technique permet de remplir l'espace vide de la partie intérieure d'un corps, ce qui contribue à donner une impression de richesse de motif. Cela permet aussi, par exemple, de concevoir des cheveux pour certains objets.

A-1 Enrouler dans un sens

La forme de base est une longue bande de papier que vous enroulez dans un seul sens. Le corps est fabriqué avec cette partie enroulée. Il vous reste ensuite à ajouter et à fixer la tête à l'avant.

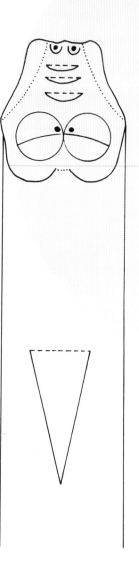

• Gabarit du crocodile

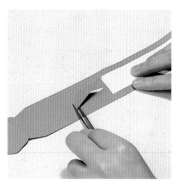

1. Pratiquez une découpe pour la queue du crocodile.
Ouvrez-la et repliez-la à l'aide des précelles.

2. Enroulez le corps du crocodile autour d'un tube en verre.

3. Rabattez la tête dans l'autre sens et, avec les précelles, retournez les plis vers l'extérieur.

A-2 Enrouler dans deux sens

Pour donner de la variété à vos figures, vous pouvez ajouter à la technique précédente un enroulement dans le sens vertical. Votre ouvrage prend ainsi l'allure d'une figure à trois dimensions et la forme, rendue plus complexe, s'en trouve enrichie.

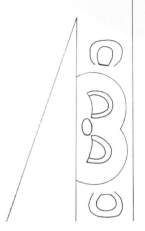

• Gabarit du singe

1. Après avoir enroulé la tête, fixez avec de la colle les deux extrémités pour que votre ouvrage ne se défasse pas.

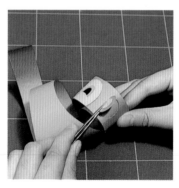

2. Découpez les oreilles que vous aurez préparées au préalable, et avec les précelles, rabattez-les vers l'extérieur.

3. Enroulez les deux parties du socle autour d'un tube en verre, et disposez-les en vis-à-vis.

A-3 Enrouler dans tous les sens

Si cette technique vous plaît, vous pouvez vous en donner à cœur joie et enrouler dans tous les sens. Pour fabriquer vos objets, choisissez surtout du papier épais, tel que le carton ondulé.

Vous pouvez continuer à ajouter des variantes de toutes formes et de tous genres à vos ouvrages tridimensionnels.

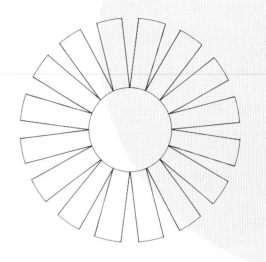

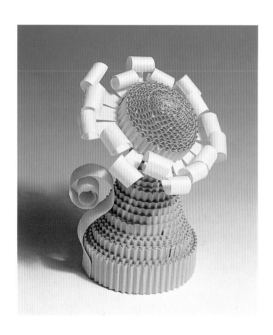

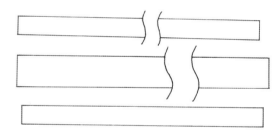

• Gabarit du tournesol

1. Enroulez deux bandes de carton ondulé de deux couleurs pour former des cercles d'environ 5, 5 cm et 4 cm de diamètre.

2. En pressant avec un doigt, donnez au cercle la forme d'un cône.

3. Après avoir terminé la partie supérieure, fixez-la au socle avec un cure-dent.

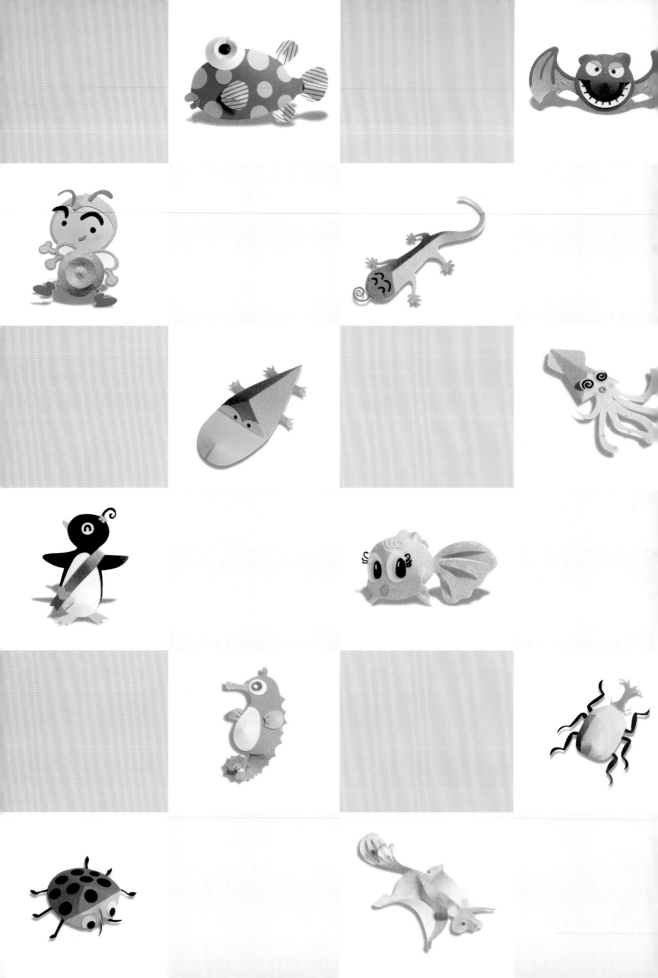

B

Les surfaces
convexes

Elles sont le résultat de techniques qui servent principale-
ment à donner un certain relief
à une surface et une forme
particulière. Vous pouvez ainsi
réaliser des ouvrages assez
minutieux, tels que certains
masques, des insectes, des
reptiles, comme sur les photos
des pages suivantes.

B-1 Le cône rainé

Le cône rainé présentant des formes très harmonieuses, est une technique extrêmement
employée. On l'utilise dans beaucoup de cas pour
fabriquer des yeux, des têtes, des fleurs.

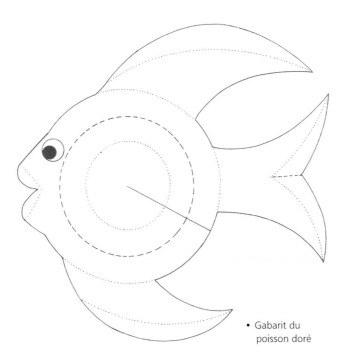

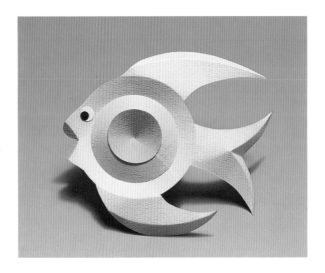

• Gabarit du
poisson doré

1. Après avoir découpé la forme,
rainez légèrement les monts et
les vallées avec le cutter-compas, de façon à faciliter le pliage.

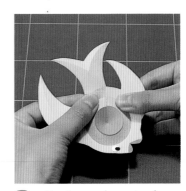

2. Enrichissez la figure en collant un
morceau de papier de couleur
qui renforcera le contraste.

3. Terminez en donnant sa forme
finale au poisson.
Fixez les autres parties avec de
la colle ou du ruban adhésif.

34

B-2 Les surfaces planes multilatérales

Les surfaces planes multilatérales sont des variantes du cône rainé. Selon l'objet que vous voulez réaliser, vous déterminerez le nombre de côtés nécessaires. Par exemple, la pieuvre a quatre côtés. Suivez la méthode ci-dessous.

• Gabarit de la pieuvre

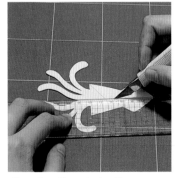

1. En utilisant le dos d'un couteau sur le mont de la pieuvre, tracez légèrement les vallées.

2. Après avoir formé les plis, rapprochez les deux extrémités comme sur la photo, de façon à donner du relief et fixez avec de la colle.

3. Pour finir, collez les yeux et bouche, puis décorez comme vous voulez.

B-3 Les surfaces semi-convexes I

Cette technique consiste à réaliser des formes semi-convexes pour des objets d'aspect tridimensionnel. Selon les assemblages effectués, les effets de relief varient d'une figure à une autre.

• Gabarit du taureau

1. A l'aide des précelles, fixez d'abord la face du taureau avec de la colle.

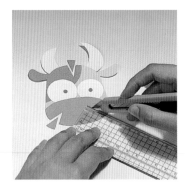

2. Selon le gabarit, tracez d'abord les lignes à plier et à découper.

3. Après avoir découpé les triangles, rapprochez les côtés et collez-les derrière la face à l'aide des précelles, de façon à produire une forme convexe tridimensionnelle.

B-4 Les surfaces semi-convexes II

En pratiquant des fentes sur les surfaces semi-convexes simples, vous pouvez créer encore plus de variantes.
On a souvent recours à cette technique dans la réalisation d'ouvrages assez complexes.

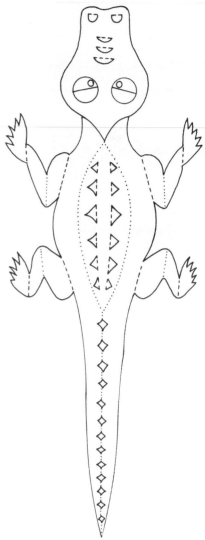

• Gabarit de crocodile

1. Découpez le papier selon le gabarit.

2. Avec le dos du cutter ou le stylet, tracez les monts et les vallées.

3. Après avoir découpé les écailles en forme de V, repliez-les vers l'extérieur avec les précelles.

C

Pliage sur un axe central

En pliant le papier en deux, il est possible de créer la force de soutien qui sert de base à la structure.

En développant cette technique à partir d'un demi-cercle, vous pouvez associer d'autres techniques telles que les plis renversés intérieurs et les plis renversés extérieurs.

Vous pouvez créer toutes sortes de variantes qu'il vous sera possible d'appliquer aux animaux à quatre pattes.

$C-1$ Pliage d'un cercle

Cette technique consiste à plier en deux un cercle de base ; sur un côté du cercle, tracez au crayon le motif à réaliser et découpez la forme extérieure. Selon le motif, vous pouvez assembler des cercles de dimensions différentes. Sa caractéristique réside dans la courbe de sa partie inférieure.

1. Avec le cutter-compas, découpez un cercle.

2. Après avoir découpé les lignes d'après le gabarit, repliez les oreilles du chien vers l'extérieur.

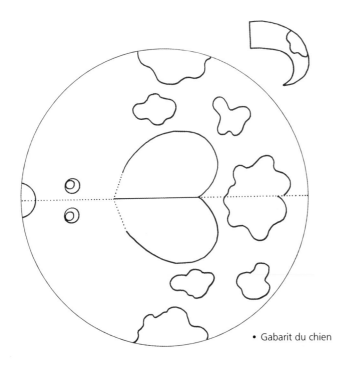

• Gabarit du chien

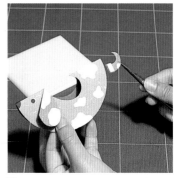

3. Terminez cette figure en fixant la queue et en ajoutant les derniers détails.

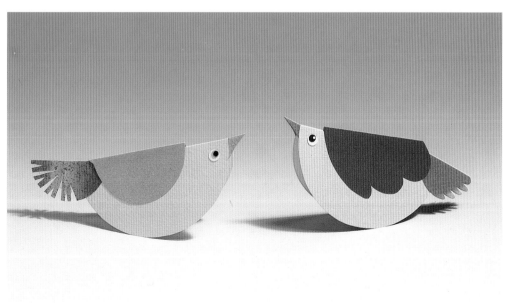

C-2 Pliage en deux

Avec cette technique, vous devez garder à l'esprit que la face avant et la face arrière de l'objet sont différentes. En concevant votre projet, accordez la priorité à la face avant afin de réaliser des variantes de formes, qui rendent clair le motif. C'est une technique que l'on emploie beaucoup et où la face avant est la plus importante.

• Gabarit du lapin

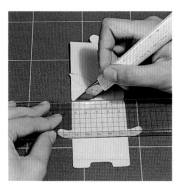

1. Découpez selon le gabarit, et faites les rainures.

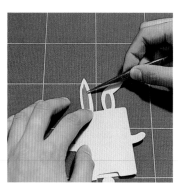

2. Soulevez les oreilles, et collez l'intérieur de celles-ci.

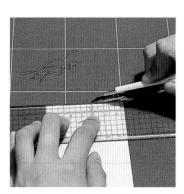

3. Avec un cutter, faites les moustaches avec de fines bandes qui se recourberont naturellement.

49

C-3 **Pliage latéral**

Cette technique est développé à partir du pliage en deux. Sur le plan de la forme, c'est une figure triangulaire convenant à la création d'objets étroits en haut, et larges à la base.

La pliure latérale sert souvent à représenter les côtés d'une figure.

1. Découpez la forme du pingouin selon le gabarit.

2. A l'aide d'un cutter, incisez légèrement la rainure centrale.

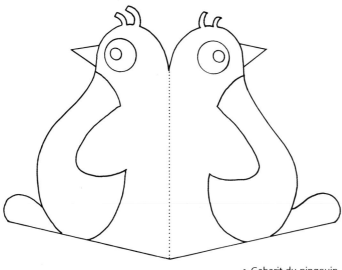

• Gabarit du pingouin

3. Pour finir, collez les parties du corps.

C-4 Pliage d'une surface triangulaire

Vous pouvez appliquer cette technique aux figures dont la tête est de forme plate, comme les éléphants, les cochons...

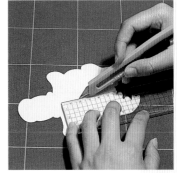

1. Découpez la forme extérieure du dragon volant d'après le gabarit.

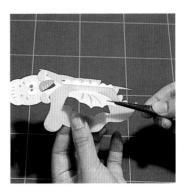

2. Formez les plis du dragon et, à l'aide des précelles, soulevez les ailes vers l'extérieur.

3. Au milieu du corps plié en deux, collez le carton-plume pour renforcer la stabilité du dragon volant.

• Gabarit du dragon volant

C-5 Le pli renversé intérieur

Avec le pliage sur un axe central, vous pouvez encore effectuer un pli vers l'intérieur ce qui peut rendre la partie latérale de votre objet beaucoup plus sophistiquée. Cette méthode vous permet de soulever la tête ou la queue de l'animal, de fabriquer un animal au long cou ou encore de créer un effet de perspective.

1. Découpez la forme de l'hippopotame d'après le gabarit.

2. Après avoir tracé les monts et les vallées, pliez les rainures. Veillez à bien replier l'angle de la tête de l'hippopotame.

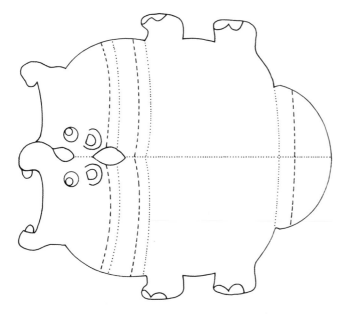

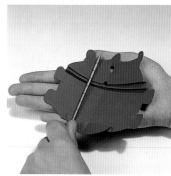

3. A l'aide d'un tube en laiton et de la paume d'une main, recourbez le corps de l'animal en forme d'arc.

• Gabarit de l'hippopotame

C-6 Le pli renversé extérieur

Les principes du pli renversé extérieur et du pli renversé intérieur sont semblables. Seules leurs directions sont opposées. Si les couleurs sont différentes sur le recto et le verso de votre feuille, vous aurez alors recours à la méthode du pli renversé extérieur. En repliant, vous ferez apparaître les deux côtés du papier et les deux couleurs. Pratiquée avec habileté, cette méthode vous permet de créer diverses figures.

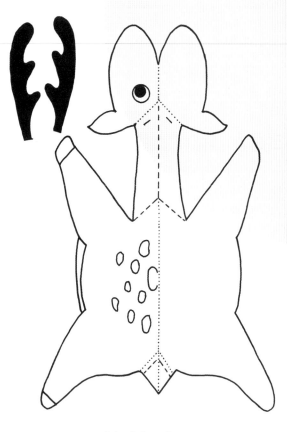

• Gabarit du cerf

1. Après avoir découpé la forme du cerf, tracez légèrement les monts et les vallées avec le dos du cutter.

2. Sur l'envers de la tête, découpez des fentes, et insérez-y les cornes du cerf.

3. Formez les plis, en accordant beaucoup de soin aux plis renversés.

C-7 Pliage d'une surface plane

Le pliage d'une surface plane est une extension du pliage d'une surface triangulaire. Cette technique utilise des rainures légères pour tracer le contour de la surface du dos, ce qui renforce l'impression de relief. Ainsi vous pouvez élaborer des animaux au dos assez large. Si vous associez d'autres techniques, le résultat sera encore plus réussi.

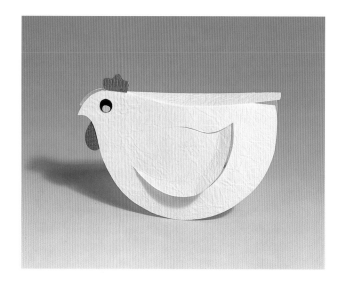

• Gabarit du coq

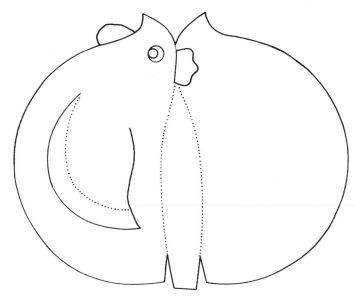

1. A l'aide du pistolet, tracez le gabarit sur une feuille de papier et découpez-le.

2. Marquez les rainures avec le stylet, et veillez à bien replier en pressant avec vos doigts.

3. A l'aide des précelles, collez les autres pièces.

D

Les cylindres

Si on décompose les objets du monde naturel, on découvre que pour la plupart d'entre eux, la structure de base est semblable à un cylindre. Le cylindre est ainsi très employé et très facile à réaliser.

Il convient parfaitement aux structures de base des figures.

A condition de travailler avec minutie, vous aurez d'heureuses surprises et des résultats inattendus.

D-1 Les colonnes I

Les colonnes sont les cylindres les plus utilisés. Elles conviennent particulièrement à la création des figures d'animaux. Découpez la forme de la face, décorez un peu la surface et vous rendrez votre animal attrayant.

• Gabarit de la chouette

1. Prenez du papier de la couleur de votre choix, et d'après le gabarit, découpez la forme dessinée.

2. A l'aide d'un objet en forme de tube, enroulez la figure de façon à lui donner une forme de colonne. Reliez les deux parties avec du ruban adhésif double face.

3. Ajoutez les yeux, la bouche... puis, avec les précelles, soulevez vers l'extérieur les oreilles et les plumes.

D-2 Les colonnes II

La même colonne couchée à l'horizontale vous permet de réaliser des ouvrages longs et tubulaires. Ajoutez les nageoires, les ailes et les autres pièces. Découpez la queue, ajoutez quelques ornements et vous obtiendrez la forme d'un poisson ou d'un oiseau.

1. Collez deux feuilles l'une sur l'autre, chacune d'une couleur différente, mais de la même dimension.

2. Découpez la forme extérieure, et à l'aide d'un cutter, marquez les rainures de la fleur sur la surface.

3. Soulevez vers l'extérieur les plis de la fleur. En raison du papier de deux couleurs, votre ouvrage se trouve embelli et enrichi.

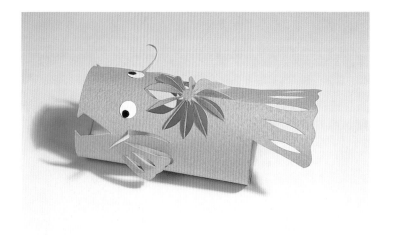

• Gabarit de la baleine

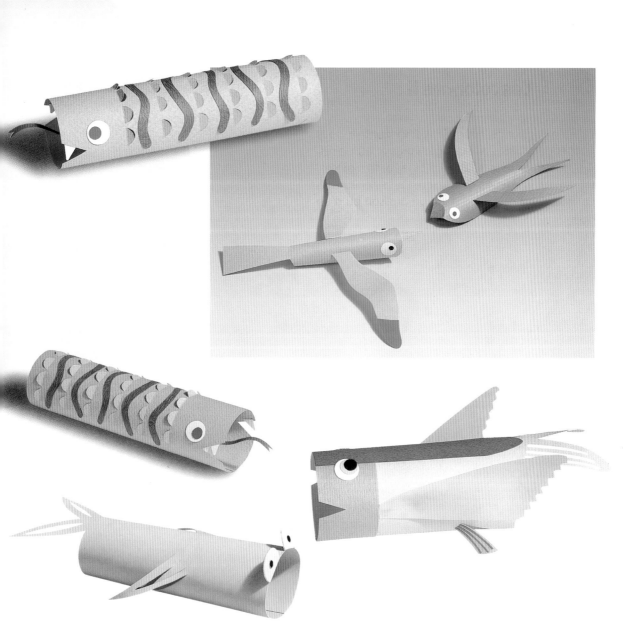

D-3 Les colonnes III

La conception d'une figure dépend souvent de la forme à partir de laquelle on détermine la technique d'application et la méthode de fabrication. Par exemple, pour le taureau ou le poisson, si le choix de l'animal est différent au départ, la forme de base sera similaire – la colonne – mais elle sera disposée dans le sens vertical ou dans le sens horizontal, elle sera large ou étroite, et c'est ainsi qu'une variété de figures verra le jour.

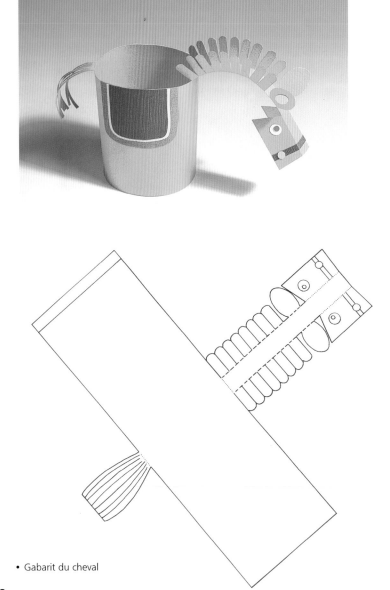

• Gabarit du cheval

1. Découpez la forme du cheval d'après le gabarit et rainez légèrement les monts et les vallées.

2. En réalisant des plis renversés, faites attention à la tête, aux oreilles, et à la crinière du cheval.

3. Après avoir bien décoré la surface, recourbez le corps pour former une colonne.
Assemblez les deux parties avec du ruban adhésif double face.

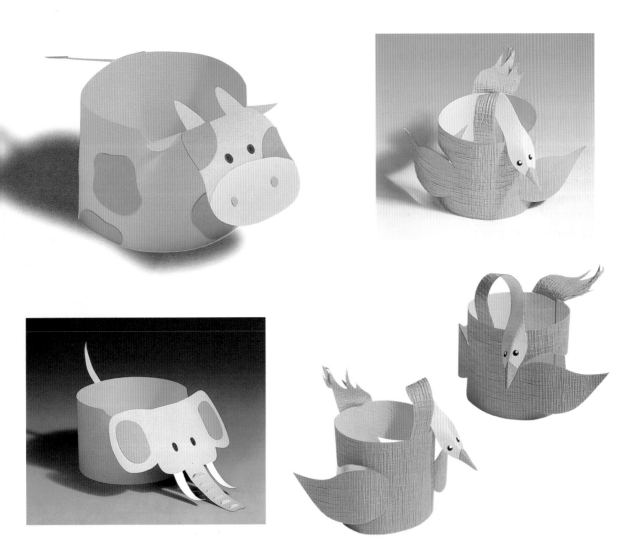

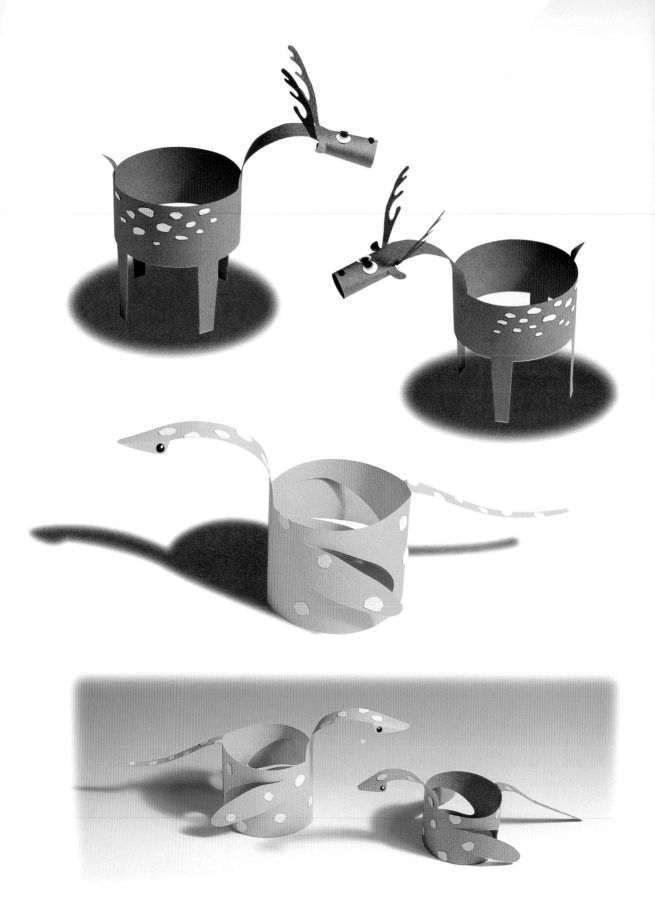

D-4 **Les cônes**

Le cône est une variante de la colonne. Il se caractérise par un sommet pointu et une base large, donnant une impression aérodynamique.
En élaborant cette figure, choisissez les techniques adaptées à la forme elle-même.

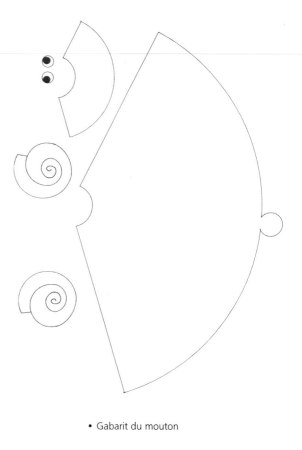

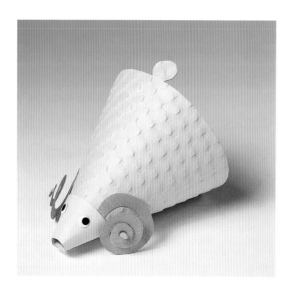

• Gabarit du mouton

1. Collez d'abord la tête du mouton.

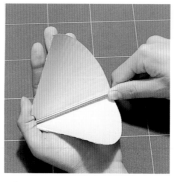

2. A l'aide du tube en laiton, pressez et recourbez le papier en forme d'arc sur la paume de votre main.

3. Après avoir enroulé le cône, collez les yeux et les cornes du mouton.

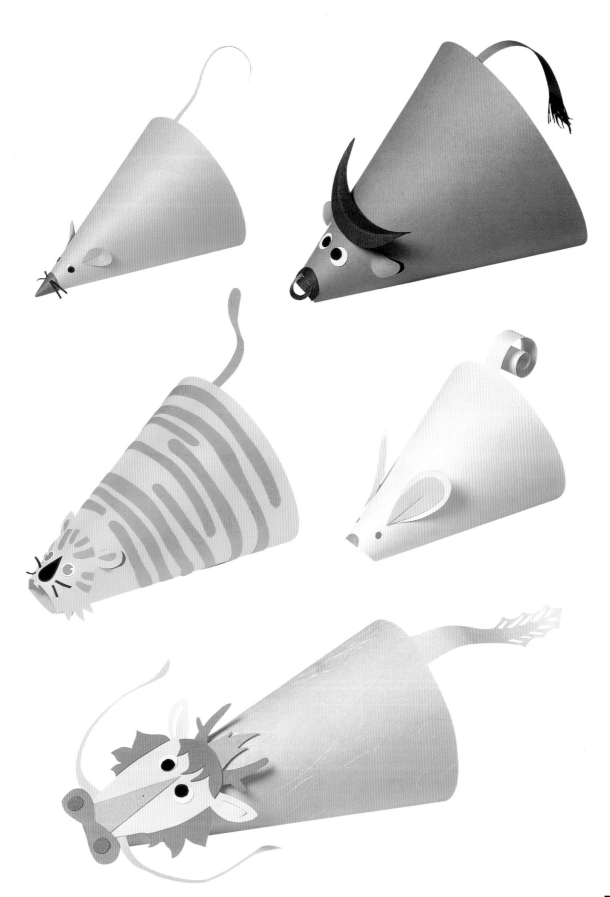

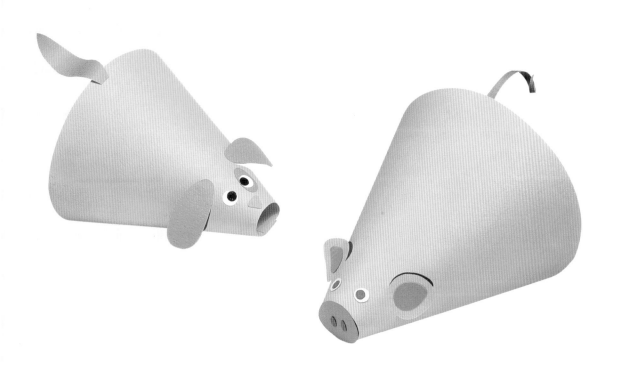

D-5 Les demi-colonnes I

Les demi-colonnes sont des colonnes coupées en deux. En utilisant la partie convexe, vous créez un effet tridimensionnel, avec la surface plane pour base. Cette méthode est très souvent utilisée dans la fabrication de faces. Sur la surface convexe, vous créez la face de l'animal, alors que sur la surface plane se prolongent les oreilles.
La méthode est facile et le résultat plein d'humour.

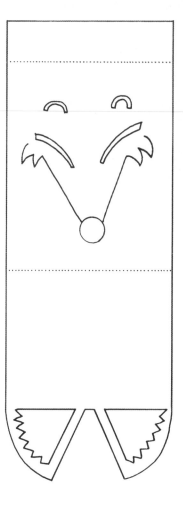

• Gabarit du tigre

1. Découpez la forme d'après le gabarit et soulevez vers l'extérieur la face du tigre.

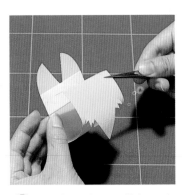

2. Après avoir enroulé le papier vers l'intérieur pour former une demi-colonne, assemblez les deux parties avec du ruban adhésif double face.

3. Collez les autres pièces à l'aide des précelles et ajustez la tête du tigre.

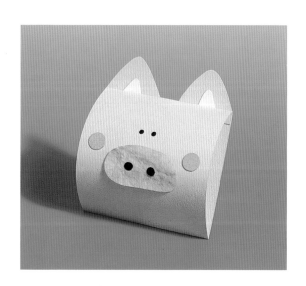

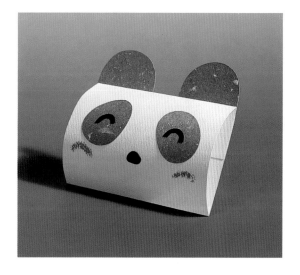

D-6 Les demi-colonnes II

Faites d'une demi-colonne la charpente de votre figure, puis découpez la tête et la queue.
Les quatre membres dans le prolongement de la surface plane donnent une posture à moitié couchée à l'animal.
Bien que le principe soit simple, faites attention aux détails les plus minutieux, comme par exemple les cornes du taureau, le groin du cochon.

1. Choisissez bien les couleurs désirées, puis à l'aide d'une feuille de papier calque, tracez le gabarit et découpez-le.

2. Collez les taches sur le corps de la vache.

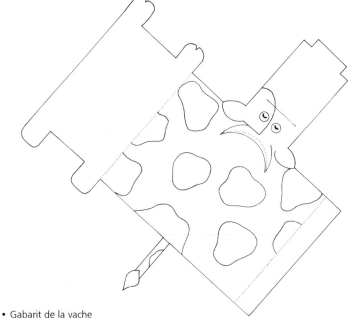

• Gabarit de la vache

3. A l'aide des précelles, repliez soigneusement le nez de la vache et insérez-le dans la fente.

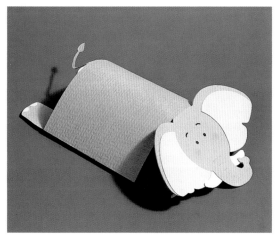

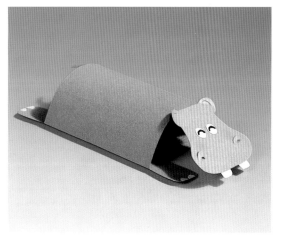

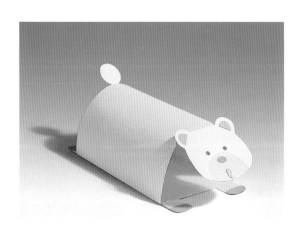

D-7 Les demi-colonnes III

Semblable à la précédente, cette technique diffère dans la création de la forme. Bien que le principe soit le même, le cou dans la technique précédente est plutôt court, alors que cette méthode présente une forme qui fait ressortir le cou.

• Gabarit du dragon

1. Après avoir découpé la forme selon le gabarit, enroulez le corps en forme de demi-colonne et assemblez-le avec du ruban adhésif.

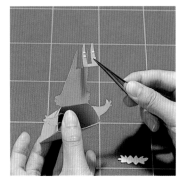

2. Repliez vers le haut la tête du dragon et collez les autres pièces.

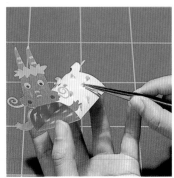

3. A l'aide des précelles, serrez et recourbez les écailles pour donner du relief.

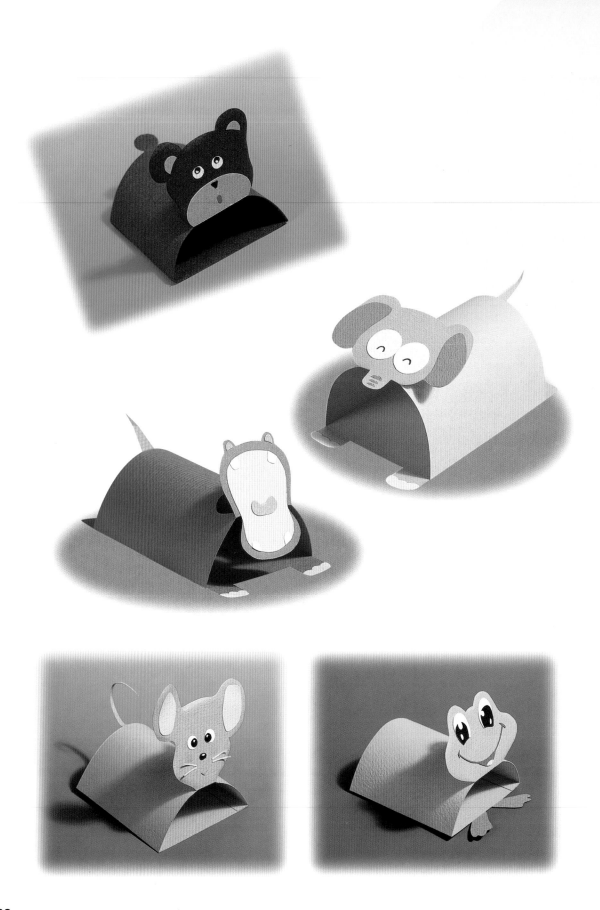

En utilisant la même technique avec deux plis renversés et en ajoutant quelques motifs décoratifs, vous pouvez faire par exemple ce joli petit canard.

83

D-8 Les demi-colonnes IV

La plupart des demi-colonnes ont pour base une surface plane. Cependant, si vous retournez la surface convexe arrondie pour l'utiliser comme base de votre figure, il se dégagera de l'œuvre créée une impression différente.

Il est ensuite possible d'étendre et de produire d'autres effets sur cette surface.

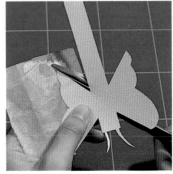

1. Choisissez des morceaux de papier de couleur pour recouvrir les ailes, puis collez-les et découpez le bord.

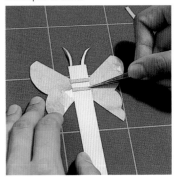

2. Collez en place les yeux et les lignes du corps du papillon.

3. Ajoutez sur la queue du papillon des morceaux de carton pour maintenir l'équilibre de l'objet.

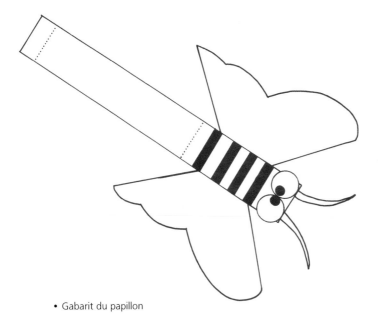

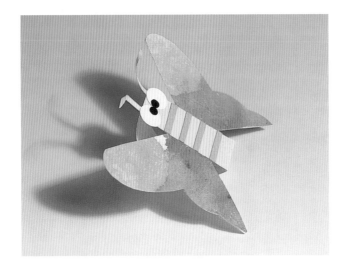

• Gabarit du papillon

D-9 **Colonnes avec variantes I**

Les colonnes avec variantes sont dérivées des colonnes et des demi-colonnes. Elles ne sont pas limitées dans leurs formes.

A condition que l'espace soit fermé, les variantes seront riches, les possibilités d'emploi sont nombreuses. Vous pouvez choisir à votre gré la méthode la plus adaptée.

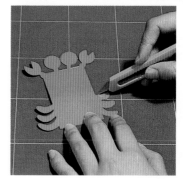

1. Découpez la forme du crabe d'après le gabarit.

2. Après avoir recourbé le corps, assemblez-le avec du ruban adhésif double face.

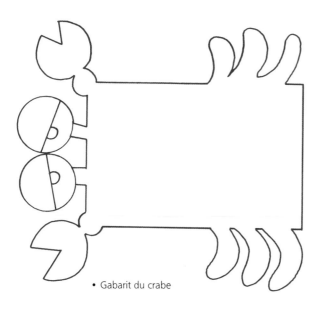

• Gabarit du crabe

3. Pour finir, collez les autres éléments du corps.

D-10 Colonnes avec variantes II

Ce qui diffère ici, c'est que la base est vide et que le corps n'est pas fermé. En utilisant cette technique, vous pouvez créer des figures de forme allongée. Choisissez du papier épais qui, une fois recourbé en arc, est facile à poser.

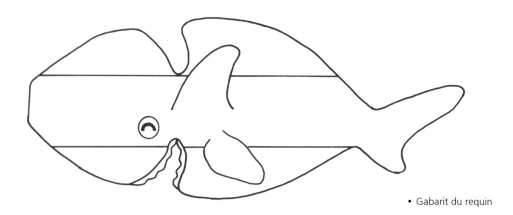

• Gabarit du requin

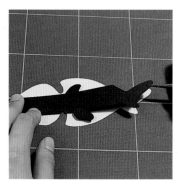

1. Découpez selon le gabarit, puis collez les parties du requin.

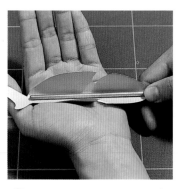

2. A l'aide du tube de laiton, pressez légèrement le papier dans la paume de la main, afin de le recourber et d'obtenir la forme désirée.

3. Toujours avec le tube de laiton, recourbez les nageoires en forme d'arc.

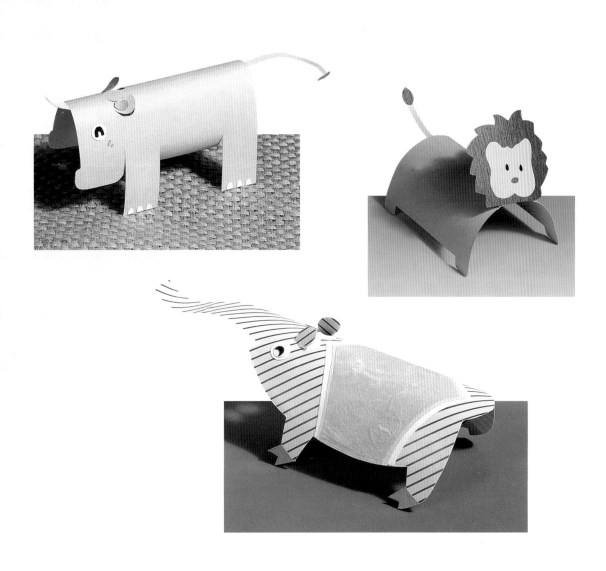
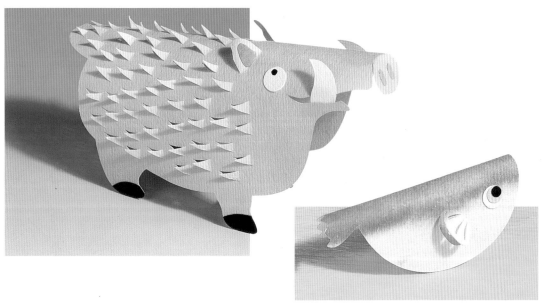

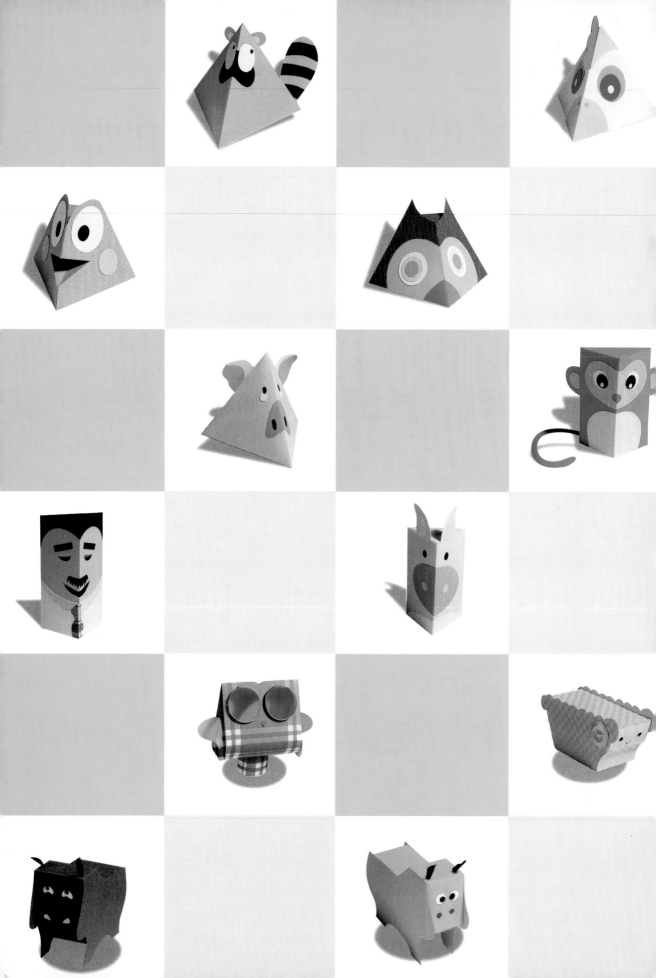

E

Les solides

Les solides se caractérisent par leur structure épaisse et fermée. Ils donnent ainsi un sentiment de volume.

Cette technique est plus complexe que les autres. Quand vous élaborez un projet, tracez d'abord la forme de base, puis ajoutez les pièces détachées qui conviennent.

Il faut donc être familiarisé avec la technique des solides et maîtriser les figures géométriques. Vous pourrez ensuite élaborer des figures originales.

E-1 Le polyèdre triangulaire

Le polyèdre triangulaire est une forme solide de base. Quand vous concevez votre projet, veillez à sa conformité avec la forme elle-même.
Par exemple pour une souris, prenez comme repère un point de l'angle pointu pour marquer le museau de la souris. Selon le principe équivalent, tracez les oreilles de la souris et dessinez la queue de la même façon.

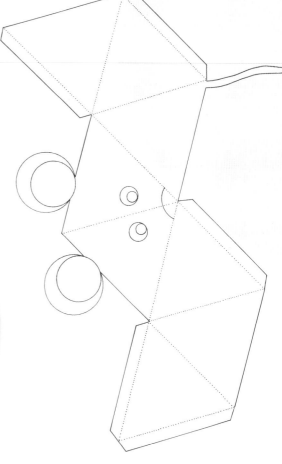

• Gabarit de la souris

1. Découpez le dessin une fois tracé.

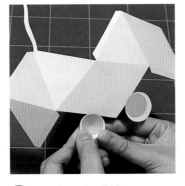

2. Après avoir collé les morceaux de papier de couleur, créez les oreilles en forme de cône pour donner encore plus de relief à votre ouvrage.

3. Pour finir, assemblez la totalité de la figure en ajoutant de la colle.

E-2 Le polyèdre trapézoïdal

Si on étend le polyèdre triangulaire, on obtient le polyèdre trapézoïdal. Tous deux se caractérisent par une conception similaire. Cependant la fabrication des formes présente des différences. Faites d'abord une ébauche de votre projet, puis selon la forme, prenez une surface ou un point de repère. Enfin, tracez et déployez le dessin. Quelques séances d'entraînement vous suffiront pour maîtriser la technique.

1. Tout d'abord, collez le morceau noir de la tête, puis les taches.

2. Marquez légèrement les lignes de pli avec le dos d'un cutter et repliez avec soin.

3. Assemblez le tout avec du ruban adhésif double face.

• Gabarit de la coccinelle

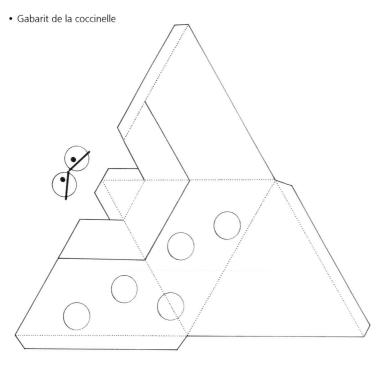

95

E-3 Le polyèdre cylindrique

Il s'agit d'un polyèdre de forme allongée cylindrique. A partir de cette sorte de tube, plusieurs choix de figures s'offrent à vous.

Avec de l'habileté et de l'ingéniosité, vous pouvez ainsi créer des figures très caractéristiques et tout à fait originales.

1. Découpez la forme et assemblez le polyèdre.

2. Collez les autres pièces d'après le gabarit.

3. Pour finir, à l'aide des précelles, effectuez un pli renversé intérieur pour la bouche du personnage.

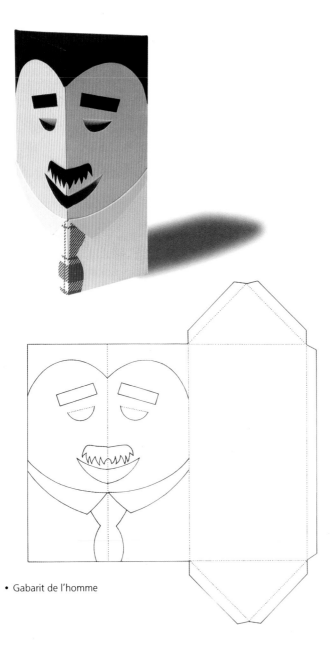

• Gabarit de l'homme

E-4 Solides variés

Avec les précédentes connaissances relatives aux solides, vous pouvez ensuite créer diverses figures, comme sur ces photos. Ainsi, on obtient des objets élaborés à partir de la même technique de base, mais aux variantes multiples et composés de riches détails. A vous de faire preuve d'habileté et d'imagination pour inventer tout un monde de figures.

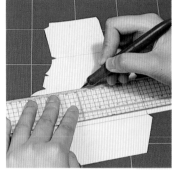

1. Découpez la forme et, à l'aide du stylet, marquez légèrement les rainures pour faciliter le pliage des courbes.

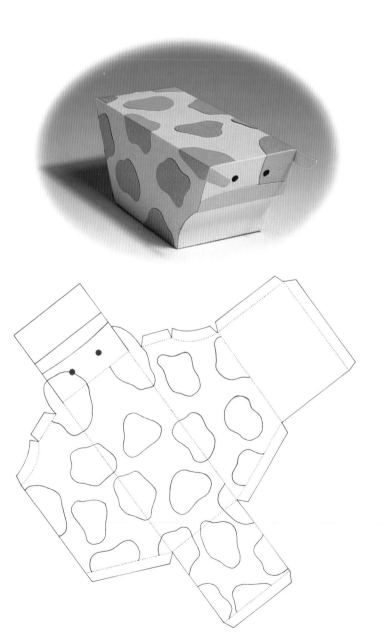

2. Collez les taches de la vache, ainsi que la tête.

3. Assemblez le tout avec de la colle et découpez les parties en trop.

• Gabarit de la vache

Techniques combinées

Après vous être entraînés aux techniques de base, vous pouvez désormais entrer dans le monde plus complexe, plus riche et plus réel des formes à trois dimensions.

Les techniques combinées consistent à utiliser avec adresse chaque technique de base, à les associer, et ainsi à réaliser un ouvrage plus sophistiqué, plus original et plus proche de la réalité. A condition de vous entraîner, vous pouvez créer des formes de toutes sortes, les modifier, de façon à obtenir de très jolies figures.

F-1 Techniques combinées I

Pour chaque figure, choisissez les techniques appropriées. Prenons l'exemple du panda. Sur le plan de la structure, on utilisera la technique des surfaces convexes pour fabriquer la tête et celle des colonnes pour fabriquer le corps.

• Gabarit du panda

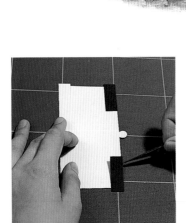

1. Collez d'abord sur les 4 membres noirs le corps du panda.

2. A l'aide d'un tube en laiton, recourbez le corps en forme de colonne.

3. Après avoir fabriqué la tête, assemblez le tout.

F-2 Techniques combinées II

Outre une maîtrise précise des structures, le sens de l'harmonie des couleurs est essentiel dans la réalisation de vos figures. Aussi en concevant votre projet, pensez à bien assortir les couleurs, soyez même un peu audacieux dans votre choix.

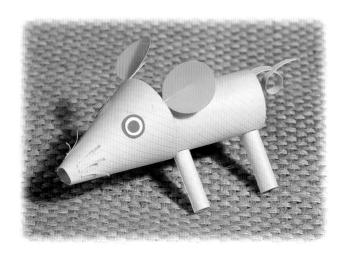

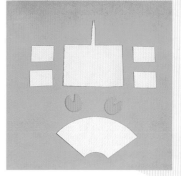

1. Selon le gabarit, choisissez bien les couleurs et découpez le croquis désiré.

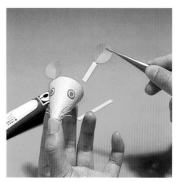

2. Recourbez les oreilles en forme de cône pour ajouter du relief. Puis assemblez la longue bande et la tête.

3. Assemblez le tout et ajoutez à l'intérieur du corps des morceaux de carton pour renforcer la stabilité de la figure.

• Gabarit de la souris

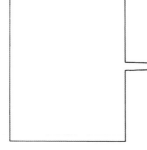
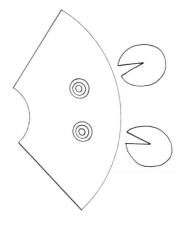

F-3 Techniques combinées III

Les structures cylindriques sont parmi les formes basiques les plus utilisées. Par exemple le cône rainé convient bien à la fabrication de petits nains. Vous pouvez choisir un motif à développer ; vous pouvez faire plusieurs essais sans hésiter.

• Gabarit du nain

1. Assemblez le motif principal et le vêtement avec de la colle, puis formez un cône rainé.

2. Avec le dos d'un cutter, marquez légèrement les rainures puis collez.

3. Pour les bras, enroulez un morceau de papier en forme de colonne et avec les ciseaux, découpez une extrémité en biais et collez-la au corps.

F-4 Techniques combinées IV

Créer un personnage est complexe, il faut réaliser sa forme, sa coiffure, son costume... Le point clé est de maîtriser la fabrication des personnages.
A partir de la structure de base de la colonne, ajoutez d'autres techniques pour décorer la surface : par exemple la technique d'enroulement pour les cheveux et pour le costume..., ainsi vous ferez naître des personnages de contes pour enfants.

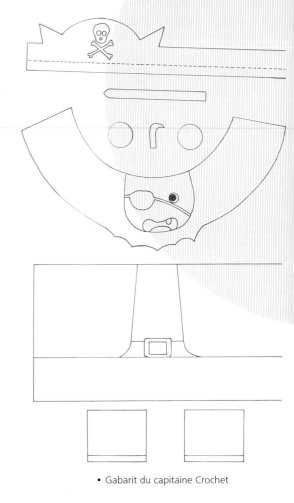

• Gabarit du capitaine Crochet

1. Après avoir enroulé la tête et le bandeau, fixez celui-ci sur la tête avec de la colle.

2. Collez soigneusement le bras au crochet.

3. Fabriquez le pantalon, collez-le sur le corps en faisant des plis.

3ème partie

Les applications

3-1 Objets utiles

Vous pouvez créer des objets purement décoratifs mais aussi des objets utiles à la vie de tous les jours. Vous agrémenterez ainsi votre quotidien avec des touches personnelles, et beaucoup de fantaisie et de gaieté.

Original et pratique non !

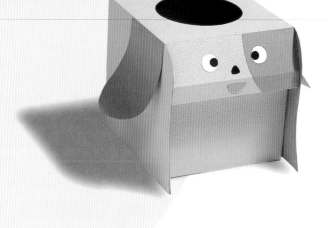

a. Boîtes à mouchoirs en papier

Vous pouvez confectionner une boîte en forme d'animal où vous rangerez vos mouchoirs.

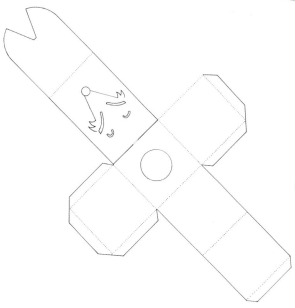

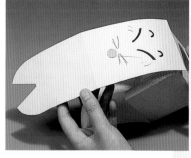

Après avoir découpé la forme selon le gabarit proposé, faites le pliage suivant les indications.

Ensuite, rabattez les oreilles dans le sens opposé puis insérez-les dans les fentes.
Bien ajuster toutes les parties de la boite

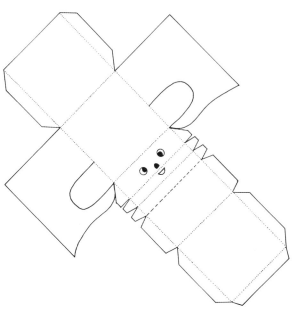

b. Boîtes pour petits accessoires

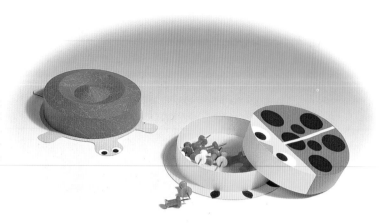

En suivant votre imagination, et selon vos goûts, vous pouvez décorer et ainsi rendre très attrayants des objets en apparence très ordinaires. Ne donnez pas de limite à la fantaisie, il n'en seront que plus originaux !

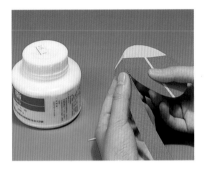

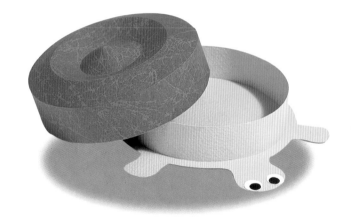

1. Collez d'abord la bordure du cercle et la longue bande le long de celle-ci. Puis, après avoir enroulé la tête et le bandeau, collez les extrémités l'une à l'autre.

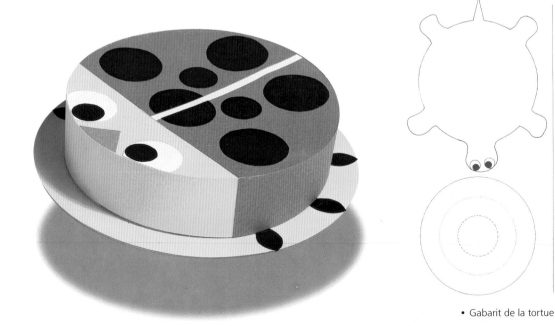

• Gabarit de la tortue

C. Pots à crayons

Pour ce projet qui utilise la technique des cylindres, veillez à bien sceller la base. Vous pourrez réaliser toute une gamme de porte-crayons.

Ces objets vous permettent de ranger crayons, stylos, ou de disposer des fleurs séchées.

3-2 Avis et messages

Vous voulez faire passer le message ?
Alors faites-le d'une façon amusante et
originale, en confectionnant le support le
mieux adapté. Ainsi, selon ce que vous
voulez transmettre, vous choisirez le
motif le plus approprié qui donnera beaucoup de valeur au message.

a. Messages à suspendre

Vous pouvez choisir de suspendre ou d'accrocher vos messages. Avec un peu d'ingéniosité et de fantaisie, vous séduirez tout le monde avec vos créations. On ne pourra s'empêcher de sourire et de comprendre à demi-mot.

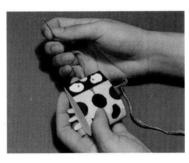

1. Après avoir découpé la forme selon le gabarit, assemblez celle-ci et collez toutes les petites parties de la coccinelle.

2. Avec du fil et une aiguille, faites passer le fil dans la tête de la coccinelle.

3. Collez les antennes à l'aide des précelles si besoin est. Soyez minutieux afin que le résultat soit réussi.

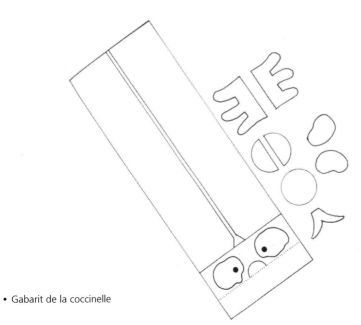

• Gabarit de la coccinelle

Les messages peuvent aussi être exposés sur une table, et parfois, par la même occasion, servir de décoration.

1. Confectionnez la figure, toujours selon un gabarit. Reportez-vous aux techniques déjà citées dans les chapitres précédents.

2. Terminez cette figure en collant les yeux, la bouche, etc...

3. Enfin, insérez le message dans la bouche découpée de la grenouille.

Joyeux anniversaire

b. Panneaux de portes

Il vous est aussi possible d'accrocher vos messages, sur la porte de votre chambre par exemple. Ainsi elle sera aussi décorée avec cette touche personnelle. Voici quelques exemples, mais les possibilités sont nombreuses.

Chambre de Thomas

Ne pas déranger

Ne pas entrer

3-3 Masques et déguisements

Les figures en papier à trois dimensions permettent aussi de réaliser des masques et des déguisements très divers, aux riches détails. Selon la taille désirée, vous pouvez agrandir ou réduire les gabarits. Choisissez un papier épais de préférence.

Non seulement cette activité est très distrayante, mais elle laisse libre cours à votre imagination et à votre fantaisie.

a. Masques simples

En utilisant la technique des surfaces convexes et en agrandissant le gabarit de la forme de la tête, mesurez la distance entre les deux yeux afin de percer les trous.
Pour finir, enfilez un élastique pour pouvoir maintenir le masque correctement.

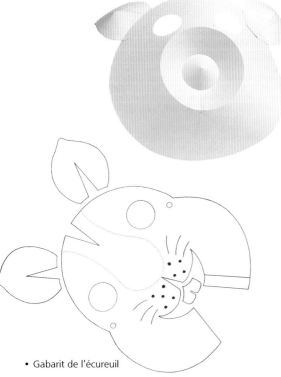

• Gabarit de l'écureuil

1. Découpez une bande de papier que vous collerez au dos. Après avoir rassemblé les deux extrémités, égalisez la bordure.

b. Autres masques

Selon le même principe, amusez-vous à créer d'autres déguisements. Selon l'usage auquel vous les destinez, choisissez bien les couleurs et la qualité du papier, pour avoir un bon résultat.

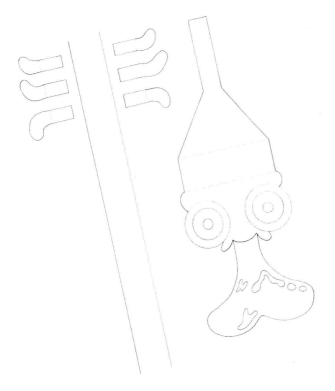

• Gabarit du capricorne

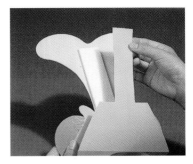

1. Au milieu de la tête déjà découpée, collez un support rigide qui renforcera la stabilité de la pièce.

• Gabarit de la grenouille

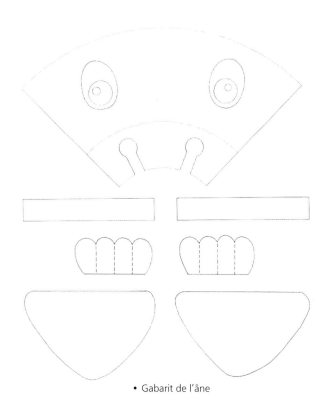

• Gabarit de l'âne

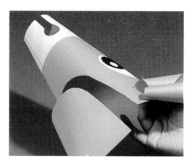

1. Enroulez le papier en forme de clairon. Découpez avec des ciseaux la partie inférieure de la seconde moitié de la forme.

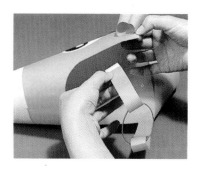

2. Fabriquez un ruban avec du papier épais. Il doit être légèrement plus petit que le tour de tête de l'enfant. L'élastique servira ensuite à maintenir le masque correctement en place.

3-4 Compositions décoratives

De par leurs formes attrayantes et leurs couleurs vivantes, les figures en papier à trois dimensions conviennent parfaitement aux créations décoratives. Elles contribuent à changer votre espace de vie, que vous pouvez agrémenter selon vos goûts et vos souhaits.

Mobile de clochettes

Une fois l'ouvrage achevé, cousez les clochettes, ajustez bien la distance entre elles. Vous obtiendrez un joli mobile original.

• Mobile de clochettes en forme de petits nains.

b. Capuchons décoratifs

Avec la technique des cylindres, vous pouvez réaliser des capuchons fantaisie pour vos crayons et vos stylos. Faciles et amusants à fabriquer, ils peuvent aussi recouvrir vos doigts comme de petites marionnettes.

Veillez à bien mesurer les dimensions pour qu'ils s'adaptent correctement sur le support choisi.

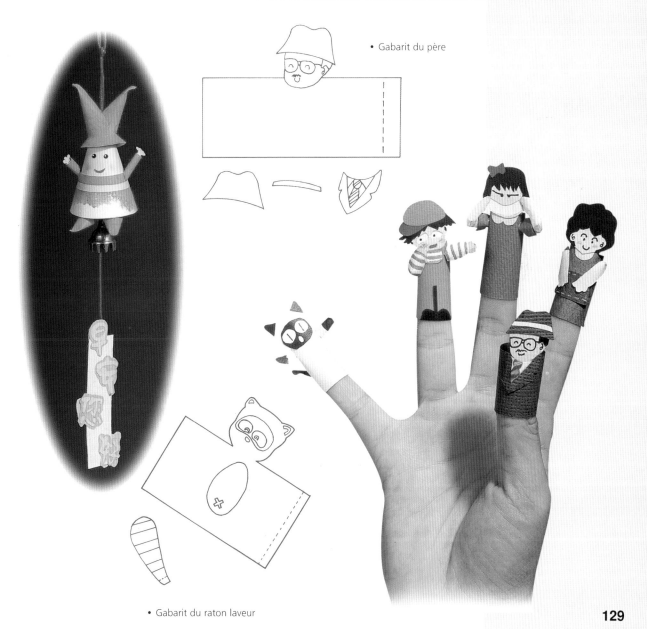

• Gabarit du père

• Gabarit du raton laveur

Contes et récits .
Blanche-Neige et les sept nains

Tout le monde connaît depuis sa plus
tendre enfance les contes de Perrault,
d'Andersen ou des frères Grimm.
Avec l'art des figures en papier, vous
pouvez redonner vie aux personnages
et aux histoires qui vous sont chers.
Il vous est aussi possible de disposer
les personnages dans des tableaux et
de reconstituer des scènes de contes.

Voici l'histoire de Blanche-Neige et des sept nains présentée avec des figures tridimensionnelles. Amusez-vous à reconstituer les scènes de ce conte inoubliable en vous inspirant de ce livre.

• La méchante reine cherche par tous les moyens à nuire à la candide et pure Blanche-Neige.

• Blanche-Neige et les sept nains vivent heureux.

• La méchante reine, sachant que Blanche-Neige est toujours en vie, se déguise en vieille femme et offre une pomme empoisonnée à Blanche-Neige.

• Il vous suffit de disposer les sculptures de façons différentes pour recréer différentes scènes du conte.

3-6 Contes et récits .
Les habits neufs du roi

Un tailleur tire profit du goût immodé-
ré du roi pour les vêtements et lui
confectionne de prétendus " habits
neufs ". Cependant, il n'y en a pas du
tout, et c'est dans des vêtements invi-
sibles que le roi se promène en pré-
sence de tout le monde, ne se rendant
pas compte qu'il est nu !

• Le roi à l'esprit trop borné, se fiant aux paroles du tailleur, se fait confectionner des habits neufs très particuliers.

• Partout chacun discute des habits neufs du roi.

Cependant, il n'y a strictement aucun habit neuf. Le roi chemine fièrement dans tout le pays devant son peuple. Nul ne veut laisser voir qu'il ne voit rien. Seul un petit enfant criera la vérité. Mais le tailleur aura déjà pris la poudre d'escampette après avoir empoché beaucoup d'argent.

Contes et récits .
Peter Pan

Souvenez-vous du combat de Peter Pan et du capitaine Crochet, des pirates, de la délicieuse Wendy...
Vous pouvez là encore faire revivre les personnages et reconstituer les scènes du récit de l'enfant qui ne voulait pas grandir. Même ce scélérat de capitaine Crochet vous semblera attendrissant !

Superposez les personnages les uns sur les autres, ce qui produira un effet à la fois original et comique.
Chaque personnage porte un costume particulier et a une expression qui lui est propre.

• Un des pirates du capitaine Crochet espionne avec des jumelles.

• Ce fourbe de capitaine Crochet et un pirate capturent la ravissante Wendy.

• Afin de libérer Wendy, Peter Pan engage un combat acharné contre le capitaine Crochet...

• Après avoir vaincu son ennemi, Peter Pan sauve Wendy.

Carnet de notes

Carnet de notes

mfg Atelier

6, rue du Bourbonnais

C.E. 1705 LISSES

91017 Evry Cedex (FRANCE)

Tél. : 33 (0) 1 69 11 31 80/81

Fax : 33 (0) 1 69 11 31 89

mfg.education@wanadoo.fr

Traduction :

Sabine ROI

Conception et réalisation :

Anne-sophie BAILLY

Imprimé en CEE

© 2001 M.F.G éducation (France)

© 1996 SUN COLOR CULTURE (R.O.C.)